JE DÉCOUVRE . . .
LE MONDE MERVEILLEUX
DES ANIMAUX

L'ÉLAN

Pamela Martin

CHEF DE LA PUBLICATION		Joseph R. DeVarennes
DIRECTEUR DE LA PUBLICATION		Kenneth H. Pearson
CONSEILLERS	Roger Aubin Gilles Bertrand	Jean-Pierre Durocher Gaston Lavoie
RÉDACTRICES EN CHEF		Anne Minguet-Patocka Valerie Wyatt
CONSEILLERS POUR LA SÉRIE		Michael Singleton Merebeth Switzer
RÉDACTION	Sophie Arthaud Charles Asselin Marie-Renée Cornu Michel Edery	Catherine Gautry Ysolde Nott Geoffroy Menet Mo Meziti
SERVICE ADMINISTRATIF	Kathy Kishimoto Monique Lemonnier	Alia Smyth William Waddell
COORDINATRICE DU SERVICE DE RÉDACTION		Jocelyn Smyth
CHEF DE LA PRODUCTION		Ernest Homewood
RECHERCHE PHOTOGRAPHIQUE		Don Markle Bill Ivy
ARTISTES	Marianne Collins Pat Ivy	Greg Ruhl Mary Théberge

Ouvrage pour la jeunesse recommandé par le
Cercle des Jeunes Naturalistes du Québec.

Données de catalogage avant publication (Canada)

Horner, Susan.
Les souris / Susan Horner, Celia Lottridge. L'élan / Pamela Martin.—

(Je découvre—le monde merveilleux des animaux)
Traduction de: Mice. Elks.
Comprend des index.
ISBN 0-7172-1993-3 (souris). — ISBN 0-7172-1992-5 (élan).

1. Souris—Ouvrages pour la jeunesse. 2. Wapiti—Ouvrages pour la jeunesse.
I. Lottridge, Celia. II. Martin, Pamela. L'élan. III. Titre. IV. Titre: L'élan. V. Collection.

QL737.R638H6714 1986 j599.32'33 C85-090805-1

Dépôt légal, 1er trimestre 1986
Bibliothèque nationale du Québec

Savez-vous . . .

Si nous devions transporter un énorme sac de pommes de terre sur la tête, que ferions-nous? La plupart d'entre nous aurions du mal d'abord à soulever ce sac si pesant, puis à le hisser sur notre tête. Supposons que nous ayons réussi à le faire, il faudrait encore être capable de le maintenir en équilibre tout en marchant la tête droite.

Il est peut-être difficile de le croire, mais un élan mâle adulte, aussi appelé wapiti, porte sur la tête des bois qui pèsent de 18 à 20 kilogrammes. Ce poids énorme n'a pas l'air de le gêner; au contraire, il porte sa tête haute et droite, comme s'il était fier de montrer son élégante ramure.

Ainsi couronné et en raison de son allure majestueuse, on l'appelle quelquefois «le roi de la montagne», et il ne faut pas s'en étonner.

Ils font trempette

Quand il fait très chaud en été, l'élan aime beaucoup se rafraîchir pendant quelques minutes dans un lac ou un cours d'eau. Dès qu'un troupeau de femelles découvre un endroit idéal pour nager, tous les petits s'y précipitent joyeusement et avec enthousiasme. Les mères n'ont pas l'air de trouver gênant d'être éclaboussées de tous côtés. Elles surveillent calmement leur progéniture qui se poursuit allègrement au bord de l'eau.

Les petits adorent galoper; ils ont de si longues pattes! C'est ainsi qu'ils développent leurs muscles. Ce jeu est très important pour eux car, lorsqu'ils n'ont que six mois, ils doivent accomplir avec tout le troupeau une longue migration qui les mène jusqu'aux pâturages d'hiver.

L'élan est un animal puissant et gracieux. Il se déplace d'habitude sans hâte mais est capable de courir très vite s'il le faut.

Leurs cousins

L'élan appartient à la famille des Cervidés. Il est apparenté au cerf de Virginie, au cerf-mulet, au caribou et à l'orignal.

Comme dans toutes les familles, les Cervidés ont certains traits communs. Ainsi, leurs sabots sont étroits et fendus et ils n'ont pas d'incisives supérieures. Comme les vaches, ils avalent rapidement leur nourriture qu'ils mastiquent plus tard pendant des heures. On dit alors qu'ils ruminent.

Il y a sans doute d'autres animaux qui ont les mêmes caractéristiques. Mais sur un point précis les Cervidés sont uniques: les bois des mâles ont la particularité de tomber et de repousser chaque année. On dit que leurs bois sont caduques.

L'élan mâle doit faire très attention: pendant cette période de sa vie, ses bois sont très tendres et peuvent être facilement endommagés.

Comment s'appelle-t-il donc?

Selon les pays et les régions, on a donné à l'élan des noms totalement différents. Les Shawnee, Indiens d'Amérique du Nord, l'ont appelé wapiti, ce qui veut dire «croupe blanche».

Quand les Britanniques arrivèrent en Amérique du Nord, ils appelèrent cet animal élan car il ressemblait à ses cousins d'Europe qu'ils connaissaient bien. Cependant cet élan, en Amérique du Nord, est appelé orignal. Il y a de quoi s'y perdre, n'est-ce pas?

Aujourd'hui on l'appelle élan ou wapiti.

Une coiffure pesante.

Gros, cela veut dire quoi?

L'élan est énorme. De tous les Cervidés nord-américains, seul l'orignal est plus gros que lui. De son museau jusqu'au bout de sa queue, un élan mâle peut mesurer 2,5 mètres et son poids varie entre 265 et 500 kilogrammes.

L'élan n'est pas très grand. Sa taille mesurée au garrot peut atteindre 1,40 mètre. La femelle est plus petite.

Régions d'Amérique du Nord où l'on rencontre des élans.

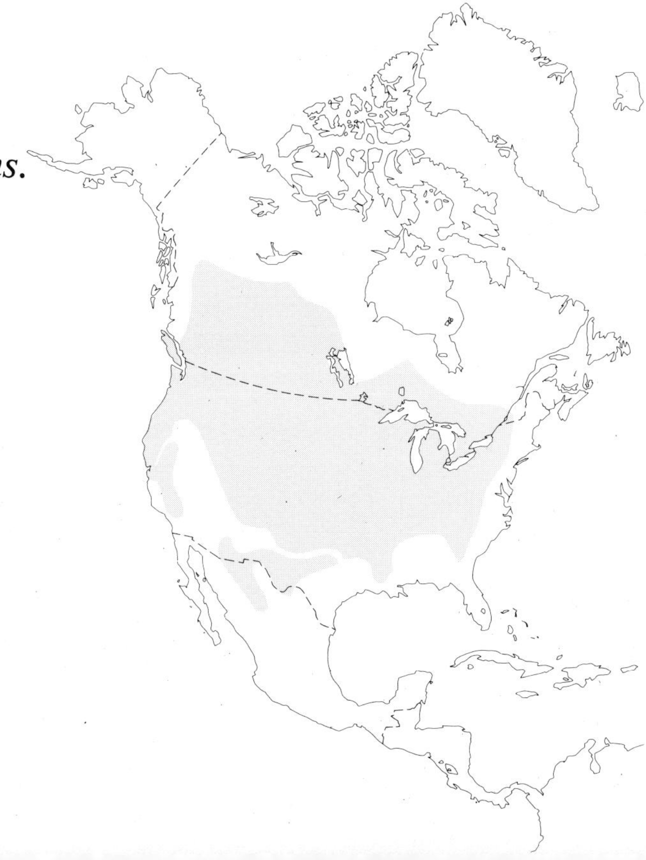

Une robe différente pour chaque saison

L'élan a un très beau pelage qui, en outre, lui est très utile car celui-ci change au cours de l'année pour le protéger du froid ou de la chaleur.

En été, il est constitué d'une seule couche de poils courts, luisants et raides. Tout l'animal est alors d'une belle couleur brun foncé, sauf sa queue et une tache en forme de cœur sur son arrière-train qui sont beiges.

Cette tenue légère est parfaite en été, mais pour l'hiver l'élan doit être beaucoup mieux protégé. À la fin de l'été donc, il se met à perdre ces poils trop courts. Repousse alors un nouveau pelage beaucoup plus épais. C'est ce qu'on appelle la mue.

Un épais manteau d'hiver

Fin septembre, l'élan a perdu tout son poil d'été et il est maintenant revêtu d'un pelage tout neuf de couleur marron gris.

Sa robe d'hiver se compose de deux couches superposées. Celle près du corps, ou poils de bourre, est faite de poils courts, fins et très épais. Au-dessus existe une couche de poils protecteurs, longs et plus résistants, dits poils de jarre. Sur ses flancs et son ventre ceux-ci peuvent être aussi longs que votre main. Sur sa nuque ils forment une véritable crinière et, sous sa mâchoire inférieure, une barbe.

Évidemment, en raison de ce pelage ultra-épais, l'élan paraît moins élégant et moins svelte en hiver qu'il ne l'est en été.

Quand arrive le printemps, cette épaisse robe est superflue. En outre, elle est alors hirsute, usée et déchirée. Elle se met à tomber par plaques et en-dessous pousse peu à peu le pelage d'été. En juin, la vieille robe d'hiver de l'élan a complètement disparu et le voilà revêtu de son beau pelage d'été, au poil luisant.

Page ci-contre:

Il est facile de reconnaître que ce sont des élans. Contrairement aux cerfs, la mère et son petit ont une crinière marron foncé.

Une panoplie de bois

Les élans ne perdent pas seulement leurs poils. Chaque année les élans mâles (très rarement les femelles) perdent aussi leurs bois et ont une nouvelle ramure.

Les bois ou andouillers, qui forment la ramure des Cervidés, sont des excroissances osseuses qui se trouvent sur leur tête. Chez les élans, c'est en février qu'ils commencent à tomber les uns après les autres. On voit donc parfois les élans, pendant des semaines, la tête penchée et déséquilibrée par les bois restants. Les andouillers tombent d'un seul coup avec un bruit sec.

Il reste alors sur la tête de l'animal une sorte de bourgeon osseux et bien sûr, tout de suite, de nouveaux bois se mettent à pousser. Tout d'abord, de chaque côté, c'est une sorte de petite corne revêtue d'une peau appelée velours. Le tissu qui enveloppe l'andouiller naissant est sillonné de vaisseaux sanguins qui le nourrissent. Au milieu de l'été les andouillers ont atteint leur taille maximale et sont aussi durs que des os.

Toison chaude d'hiver.

Une ramure en loques

Une fois que l'élan est pourvu d'une solide paire d'andouillers, le velours n'est plus utile. Celui-ci se dessèche et démange l'animal tant qu'il ne tombe pas. C'est pourquoi on voit les élans se frotter les bois contre les arbustes et les buissons pour s'en débarrasser. Très bientôt, les voilà avec de nouveaux bois nets et luisants auxquels la sève des plantes a donné une belle couleur marron.

Les élans conservent leurs andouillers pendant tout l'automne et tout l'hiver. Ils s'en servent pour se battre et défier les autres mâles pendant la saison des amours.

À la fin de l'été, des lambeaux de velours restent encore attachés aux bois de l'élan.

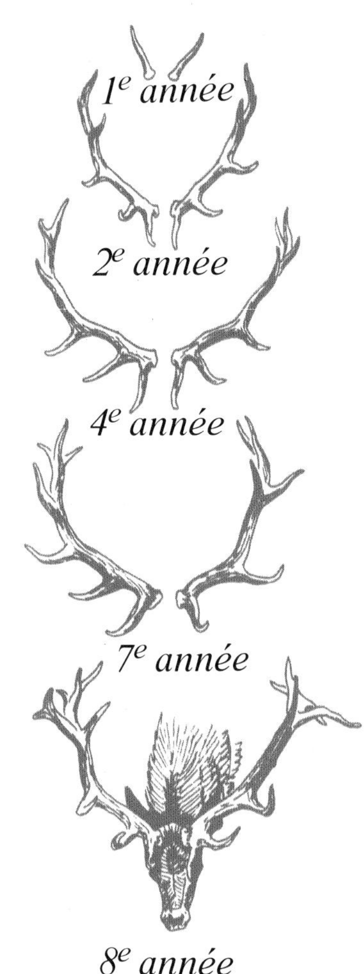

Quel âge a-t-il?

Les bois de l'élan nous renseignent sur son âge et l'état de sa santé. Voici quelques indications qui vous permettront de déterminer son âge.

Si les bois sont deux simples tiges, ou perches, longues et minces, l'animal n'a probablement qu'un an. À 2 ans, ses perches sont plus épaisses et chacune est munie de 2 ou 3 andouillers, ou pointes. Quand il arrive à l'âge de 4 ans, il aura 6 andouillers de chaque côté.

Après quoi, d'une façon générale, il ne lui pousse plus d'autres pointes. Cependant, pendant encore un an ou deux, ses bois s'épaississent et deviennent de plus en plus lourds. À ce moment-là ils sont recourbés en arrière.

La ramure d'un mâle adulte atteint plus d'1,5 mètre de long et est très lourde: elle pèse autant qu'un enfant de 4 ou 5 ans. Quand le mâle est vieux ou malade, ses bois repoussent mais ils sont moins épais et comportent moins d'andouillers qui ont parfois une forme inhabituelle.

En mouvement

Les élans sont bien équipés pour se déplacer sur n'importe quel terrain. Leurs pattes longues et puissantes se terminant par des sabots noirs et durs leur permettent de marcher facilement et en toute sécurité sur des sols accidentés.

D'une façon générale, les élans se déplacent lentement. Mais s'ils veulent échapper à un danger, leur vitesse au galop peut atteindre 48 kilomètres à l'heure, mais seulement sur une courte distance. Autrement dit ils vont aussi vite que les voitures dans les rues d'une ville.

Avec des pattes si puissantes, les élans sont des sauteurs remarquables. On a vu une fois un élan bondir par-dessus une barrière aussi haute qu'un homme de grande taille.

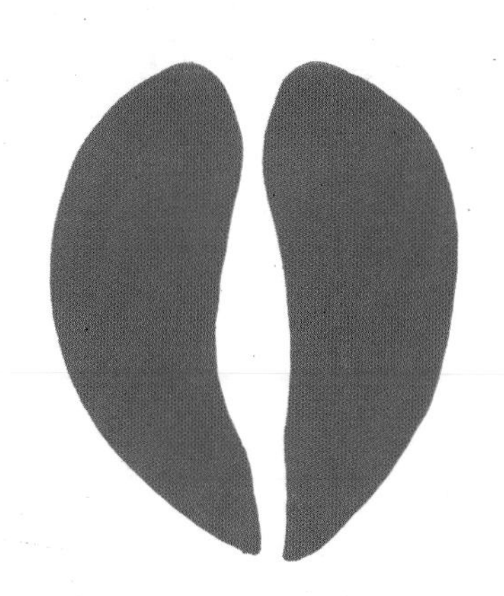

Empreinte d'un élan.

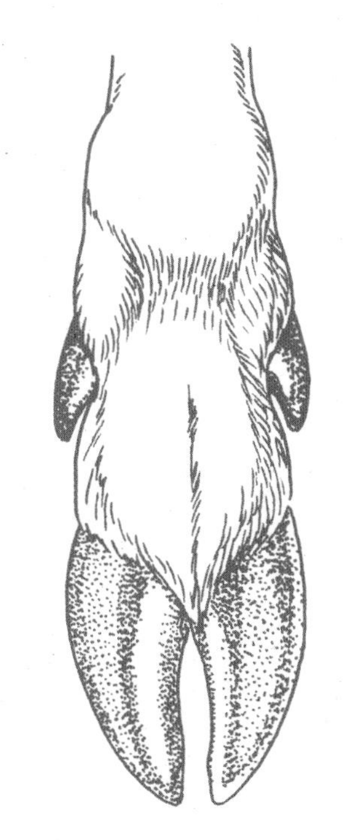

Sabot d'un élan.

C'est à l'aube ou au crépuscule qu'on aperçoit le plus facilement des élans.

La journée d'un élan

Les élans s'affairent surtout le matin et tôt le soir. C'est alors qu'ils se nourrissent. Ils passent le milieu de la journée à se reposer et à ruminer.

Quand il fait beau, ils passent aussi beaucoup de temps à gratter et nettoyer leur pelage pour le débarrasser des saletés et des insectes qui y sont attachés. Ils se lèchent soigneusement et se mordillent aussi loin que leur tête peut atteindre. Ils utilisent même leurs pattes de derrière pour se gratter la tête et le cou.

La nuit les élans se reposent généralement près de leur lieu de pâture. Ils choisissent souvent un endroit surélevé d'où ils peuvent voir ou sentir tout ce qui peut les menacer. Ils n'ont pas de place spéciale où dormir. Ils se couchent là où cela leur paraît le plus confortable. Ils ne dorment pas toute la nuit mais font plutôt de petits sommes. Pendant que le troupeau est endormi, il y en a toujours un qui veille et reste sur ses gardes.

Page ci-contre:

Les élans n'hésitent pas à entrer dans l'eau car ce sont d'excellents nageurs.

Où les trouve-t-on?

Autrefois les élans vivaient dans le nord et tout le centre de l'Amérique du Nord. Mais au fur et à mesure que des villes se bâtissaient et que des fermes se créaient, les élans se déplacèrent vers des étendues encore sauvages.

Les élans ont besoin de deux types d'habitat contigus; il leur faut de grands pâturages où ils se nourrissent et des espaces boisés où ils se protègent des intempéries et des dangers. De nos jours, c'est bien difficile à trouver. À l'heure actuelle, les élans vivent dans les montagnes de l'ouest du pays, se déplaçant vers le haut ou vers le bas selon les saisons.

Ils passent l'été dans les alpages situés haut dans la montagne. Mais les hivers y sont très rudes. Une épaisse couche de neige tapisse le sol et il leur est bien difficile de trouver de la nourriture ou de se déplacer. Ils seraient alors des proies faciles pour les couguars, loups et autres carnassiers affamés.

À mesure que le froid se fait plus intense, les élans redescendent vers les vallées plus protégées. Au printemps, à la fonte des neiges, ils remontent peu à peu vers leurs pâturages d'été.

Page ci-contre:

Petit casse-croûte au soleil.

Un appétit d'ogre

Les élans sont de gros animaux et leur appétit est proportionné à leur taille. Ils ont besoin de presque 10 kilogrammes de nourriture par jour. Leur régime alimentaire et le temps qu'ils consacrent à manger changent avec les saisons. En hiver, il leur faut évidemment beaucoup plus de temps pour satisfaire un tel appétit.

En été, ils mangent de l'herbe, des fleurs sauvages, des trèfles et même des champignons. En hiver, la plupart des élans mangent l'herbe qu'ils peuvent trouver; ils utilisent alors leurs sabots pour enlever la couche de neige. Ils s'installent plus volontiers sur le versant des collines où le vent a déjà déblayé une grande partie de la neige. Ils mangent aussi les brindilles des arbres et des buissons.

En hiver, si la nourriture se fait vraiment très rare, les élans mangent même de l'écorce d'arbres et des aiguilles de pins et de sapins.

En hiver, les élans se groupent en troupeaux dans les vallées protégées où la neige est moins profonde.

L'heure du repas

Le corps des élans est spécialement adapté à leur régime alimentaire. Leur mâchoire inférieure est munie d'incisives coupantes et leur mâchoire supérieure d'un solide bourrelet. Ils frottent leurs incisives contre ce bourrelet pour couper leur nourriture.

Quand un élan mange, il ne mâche pas sa nourriture soigneusement comme nous le faisons. Les aliments sont à peine mastiqués et tombent dans une des poches de son estomac, qui fait office de réservoir.

Quand il est repu, il va se reposer dans un endroit tranquille. Il fait alors remonter ces aliments dans sa bouche pour les mastiquer longuement et à loisir. On dit qu'il rumine.

Cette mastication en deux temps permet à l'élan d'avaler très vite la quantité de nourriture qui lui est nécessaire. Il n'a pas besoin de rester longtemps à découvert et diminue ainsi les risques de se faire repérer par ses ennemis. Il peut ruminer tranquillement plus tard, à l'abri des yeux perçants des carnassiers en quête d'une proie.

Page ci-contre:

Maigre cueillette!

Vie de famille

Les élans se groupent de façon différente selon l'époque de l'année.

En été, les femelles et les petits forment un troupeau de 10 à 25 animaux. En automne, au moment de la saison des amours, un mâle se joint à eux. Il attaque et repousse les autres mâles qui veulent prendre sa place; son rôle consiste aussi à veiller sur le troupeau et à l'empêcher de se disperser.

Quand il commence à faire froid, les élans entreprennent leur migration vers leurs pâturages d'hiver. Les petits troupeaux se joignent à d'autres pour en former de plus importants. Une centaine d'animaux, mâles et femelles de tous âges, vont passer l'hiver ensemble. Après les efforts qu'ils ont fournis en automne, les mâles sont trop épuisés pour diriger un si grand troupeau. En revanche, les femelles ont passé tout l'automne à paître tranquillement et sont alors vigoureuses. C'est l'une d'entre elles qui prend la tête du troupeau.

Page ci-contre:

Il ne manque pas de nourriture ici.

Ainsi parlent les élans

Les élans sont probablement les plus bruyants de tous les cervidés. Si on pouvait s'approcher d'un troupeau sans se faire repérer, on entendrait un curieux mélange de grognements, de petits cris aigus et de bramements.

Quand ils sont effrayés ou pressentent un danger, les élans émettent un son rauque. À la saison des amours, le mâle brame à la vue d'un autre mâle. C'est peut-être sa façon de signaler qu'il est le maître des lieux et de provoquer son concurrent au cas où celui-ci chercherait à s'approprier sa femelle.

Le jeune élan pousse un petit cri aigu quand il est affamé ou effrayé. Ce cri varie en hauteur et en intensité selon ce qu'il veut exprimer. Pour nous, humains, ces cris sont presque incompréhensibles mais la mère sait exactement ce dont son petit a besoin, protection ou nourriture.

La composition de certains troupeaux est parfois très stable. Il arrive qu'une jeune femelle passe toute sa vie dans le troupeau qui était celui de sa mère.

Des bébés mouchetés

Fin mai ou début juin ont lieu les naissances. Contrairement à beaucoup d'animaux, la femelle n'aménage pas de pouponnière pour mettre bas. Elle se contente de quitter le troupeau et de trouver un lieu à l'écart, bien à l'abri des prédateurs.

En général elle donne naissance à un seul petit bien qu'il y ait quelquefois des jumeaux. À la naissance les petits ont déjà une belle taille. Un nouveau-né pèse environ 17 kilogrammes: autant que cinq à six bébés humains ensemble! Le jeune élan a un pelage marron fauve semé de petites taches blanches disposées en bandes le long de son dos et de ses flancs.

L'élan de Roosevelt ou olympique est le plus grand d'Amérique du Nord.

De longues pattes

Une heure ou deux après sa naissance, le petit élan peut déjà se tenir debout mais il est bien chancelant sur ses pattes longues et grêles. Chaque fois que sa mère le lèche, il risque de perdre l'équilibre et de tomber.

Tout d'abord il ne se nourrit que du lait maternel qui est très riche et il prend rapidement des forces. Peu de jours après il est capable de suivre sa mère et, en moins d'une semaine, il peut galoper sans peine.

Très vite il se met à grignoter des herbes et des feuilles, comme le fait sa mère. Mais il continuera à s'allaiter jusqu'au début de l'automne.

Mère et petit dans la brume du matin.

Attention, danger!

La vie d'un élan est surtout menacée lorsqu'il est encore tout jeune. C'est alors qu'il est une proie sans défense pour ses ennemis naturels: couguars, aigles royaux, chats sauvages, loups, coyotes et ours. Il ne peut vraiment rien faire face à ces prédateurs redoutables alors qu'un adulte arrive à leur échapper en s'enfuyant ou en leur donnant un bon coup de sabot.

Mais sa mère est là; elle défend farouchement son petit contre tout intrus et se montre alors violente. Jusqu'à ce qu'il soit assez fort pour se joindre au troupeau d'été, elle ne s'éloigne jamais, même pour se nourrir, et accourt au moindre signal d'alarme. Immédiatement, le petit se tapit dans les broussailles et reste totalement immobile. Grâce à son pelage moucheté, il se confond avec le milieu environnant et devient presque invisible. Comme son odeur n'est pas très forte, les prédateurs n'arrivent généralement pas à flairer sa trace.

Premier contact avec un troupeau

Quand le petit élan est assez fort pour se déplacer sur une certaine distance, sa mère et lui se joignent à un petit groupe composé d'autres femelles et de leurs petits. Très bientôt tous ces jeunes gambadent et folâtrent ensemble. Ils galopent, se poursuivent, pataugent dans l'eau et s'éclaboussent, jouent à se battre et s'amusent follement.

Il y a toujours quelques femelles qui surveillent ces petits fort remuants alors que les autres se reposent ou se nourrissent. Elles sont toujours sur leurs gardes et donnent l'alerte au moindre danger.

Jeune élan aux aguets.

La croissance

Le jeune élan passe son premier hiver et même parfois le début du printemps avec sa mère. Mais avec le printemps arrive un nouveau petit. Dès qu'elle a mis bas, la femelle éloigne celui de l'année précédente.

Ce jeune élan est alors un membre à part entière du troupeau. Bien qu'il ne soit plus dépendant de sa mère, plusieurs années passeront avant qu'il ne soit adulte. Une jeune femelle n'aura son premier petit qu'à l'âge de trois ans et un jeune mâle ne s'accouplera pas avant d'avoir quatre ou cinq ans.

À ce moment-là le jeune élan est un animal élégant et imposant. Il vivra peut-être jusqu'à l'âge de quinze ans et aura, à son tour, plusieurs petits.

Glossaire

Accoupler (s') Union d'un mâle et d'une femelle.

Andouiller Tige osseuse et caduque se trouvant sur la tête d'un élan mâle.

Bois Ensemble des andouillers chez les cervidés.

Bramement Cri des cervidés mâles pendant la saison des amours.

Garrot Chez les animaux, partie du corps située au-dessus de l'épaule et qui prolonge l'encolure.

Migration Déplacement saisonnier des troupeaux en quête de nourriture.

Muer Chez un animal, changer de pelage.

Poils de bourre Couche de poils courts et fins qui se trouvent contre la peau même de l'animal.

Poils de jarre Poils très rugueux qui constituent l'enveloppe extérieure du pelage d'hiver.

Prédateur Animal qui chasse et tue d'autres animaux pour se nourrir.

Proie Animal dont un autre animal s'empare pour le manger.

Ramure Ensemble des andouillers (voir bois).

Ruminer Mâcher longuement les aliments que l'animal fait remonter de sa panse.

Velours Peau souple qui enveloppe les bois en cours de croissance.

INDEX

Couverture: Wayne Lankinen (Valan Photos)
Crédit des photographies: Dennis Schmidt (Valan Photos), pages 4, 24, 43; J.D. Markou (Valan Photos), 7, 12, 16, 35; Stephen J. Krasemann (Valan Photos), 8, 36; Robert J. Rose (Miller Services), 11; Wayne Lankinen (Valan Photos) 15, 20, 23, 27, 28; J.D. Markou (Miller Services), 19; Esther Schmidt, (Valan Photos), 31; Kennon Cooke (Valan Photos), 32; Thomas Kitchin (Valan Photos) 39, 44; J.D Taylor (Miller Services), 43.

Imprimé en Espagn

JE DÉCOUVRE . . .
LE MONDE MERVEILLEUX
DES ANIMAUX

LES SOURIS

Susan Horner
et
Celia B. Lottridge

Grolier Limitée
MONTRÉAL

CHEF DE LA PUBLICATION		Joseph R. DeVarennes
DIRECTEUR DE LA PUBLICATION		Kenneth H. Pearson
CONSEILLERS	Roger Aubin Gilles Bertrand	Jean-Pierre Durocher Gaston Lavoie
RÉDACTRICES EN CHEF		Anne Minguet-Patocka Valerie Wyatt
CONSEILLERS POUR LA SÉRIE		Michael Singleton Merebeth Switzer
RÉDACTION	Sophie Arthaud Charles Asselin Marie-Renée Cornu Michel Edery	Catherine Gautry Ysolde Nott Geoffroy Menet Mo Meziti
SERVICE ADMINISTRATIF	Kathy Kishimoto Monique Lemonnier	Alia Smyth William Waddell
COORDINATRICE DU SERVICE DE RÉDACTION		Jocelyn Smyth
CHEF DE LA PRODUCTION		Ernest Homewood
RECHERCHE PHOTOGRAPHIQUE		Don Markle Bill Ivy
ARTISTES	Marianne Collins Pat Ivy	Greg Ruhl Mary Théberge

Ouvrage pour la jeunesse recommandé par le
Cercle des Jeunes Naturalistes du Québec.

Données de catalogage avant publication (Canada)

Horner, Susan.
Les souris / Susan Horner, Celia Lottridge. L'élan / Pamela Martin.—

(Je découvre—le monde merveilleux des animaux)
Traduction de: Mice. Elks.
Comprend des index.
ISBN 0-7172-1993-3 (souris). — ISBN 0-7172-1992-5 (élan).

1. Souris—Ouvrages pour la jeunesse. 2. Wapiti—Ouvrages pour la jeunesse.
I. Lottridge, Celia. II. Martin, Pamela. L'élan. III. Titre. IV. Titre: L'élan. V. Collection.

QL737.R638H6714 1986 j599.32'33 C85-090805-1

Dépôt légal, 1er trimestre 1986
Bibliothèque nationale du Québec

Savez-vous . . .

Les souris apparaissent plus souvent que tout autre animal dans les contes, les comptines, les fables et les dessins animés. Mais que nous apprennent au juste toutes ces souris imaginaires sur les véritables souris?

Songez un instant à la fable de La Fontaine «Le Rat des villes et le Rat des champs». Le Rat des villes invite un jour le Rat des champs, lui vantant la beauté de sa demeure et les plaisirs comestibles et autres dont la ville regorge. Le Rat des champs est d'abord très impressionné par tout ce qu'il voit, et surtout par toutes les drôles de choses que l'on y mange. Mais il découvre vite que la vie citadine est aussi synonyme de bruit et de danger. Le Rat des champs décide de retourner chez lui, à la campagne, où il vit simplement, mais en paix.

Vous êtes-vous parfois demandé quel style de vie le Rat des champs allait-il retrouver? Comment était sa maison? Ce qu'il mangeait? Et enfin, si la vie champêtre présentait vraiment moins d'attraits et moins de dangers que la vie citadine? Pour le découvrir, observons de plus près quelques «rats des champs».

Page ci-contre:
Les longues moustaches, très sensibles, de cette souris lui permettent de déceler la présence d'objets dans l'obscurité.

Des souris en tous lieux

Dans la réalité comme dans la fiction, on trouve des souris sous toutes les latitudes.

À presque chaque type de paysage—forêts, champs, montagnes, brousse—et de climat—chaud ou froid, sec ou humide—correspond une ou plusieurs espèces de souris. Il y a des souris qui vivent dans le Grand Nord et passent le plus clair de leur temps dans des galeries aménagées sous la neige; d'autres habitent des zones désertiques et ne quittent pour ainsi dire jamais leurs galeries souterraines, où elles sont à l'abri du soleil ardent. Enfin, les souris qui peuplent les régions de marécages sont d'excellentes nageuses, alors que celles qui nichent dans les arbres n'en descendent parfois jamais.

Le campagnol à dos roux boréal vit dans le nord du Canada et en Alaska.

L'Amérique du Nord compte, à elle seule, plusieurs centaines d'espèces de souris, parfois concentrées dans un tout petit rayon. La souris de Sitka, par exemple, vit uniquement sur les îles les plus petites de la Reine-Charlotte, au large de la côte ouest du Canada.

Si La Fontaine avait écrit sa fable en Amérique du Nord, son Rat des champs se serait sans doute appelé «souris sylvestre» ou «campagnol des champs».

Les souris sylvestres représentent l'espèce la plus répandue en Amérique du Nord. Elles occupent une zone qui commence tout à fait au Nord, là où les premiers végétaux apparaissent, et s'étend jusqu'au cœur du Mexique, au sud. Étant donné leur préférence pour les régions modérément sèches, seules la Floride et d'autres régions marécageuses du sud en sont dépourvues.

Les campagnols des champs, presque aussi répandus que les souris sylvestres, sont un peu plus exigeants quant à leur habitat. Ils se plaisent dans les régions passablement humides, mais fuient les forêts denses et les prairies sèches.

Page ci-contre:

Comme son nom l'indique, la souris sylvestre vit souvent dans les forêts.

Souris

Campagnol

Page ci-contre:

Le campagnol des champs est certainement le rongeur que l'on connaît le mieux en Amérique du Nord.

Les parents proches de la souris

La souris appartient à l'ordre des rongeurs. C'est une cousine éloignée du castor, du rat musqué, du porc-épic, de l'écureuil et du tamia, et une cousine germaine du lemming et du rat. Les rongeurs ont pour principale caractéristique des dents de devant, ou «incisives», taillées en biseau et à croissance continue.

Son cousin le plus proche est le campagnol. Vous en avez sans doute déjà vu, sans savoir qu'il s'appelait ainsi. Le campagnol des champs, le plus répandu de tous, n'est autre que le petit animal que l'on aperçoit souvent dans les granges, les cours de ferme et les champs, en train de trottiner. On le désigne plus communément sous le nom de «rat des champs» ou de «mulot».

Rien d'étonnant à ce que le public confonde les souris et les campagnols, ils se ressemblent tellement. Mais alors, comment les distinguer? Les souris sont en général plus fines que les campagnols, leur museau est plus pointu, leurs oreilles et leurs yeux sont plus grands, et leur queue, plus longue.

Comment rencontrer une souris?

En se promenant dans les champs ou dans les bois, on passe les trois-quarts du temps tout près de souris et de campagnols, sans le savoir. Pour rencontrer une souris, il faut choisir son moment. La plupart des souris et des campagnols s'affairent surtout du crépuscule à l'aube. Il faut donc pour les surprendre s'armer de patience et se tenir aux aguets.

De la patience, car il faut rester immobile. Les souris sont en effet des animaux craintifs, prêts à fuir au moindre danger. La plupart du temps, elles ne sont pas douées d'une très bonne vue, mais ont l'ouïe fine. Au moindre bruit, un reniflement ou le craquement de brindilles, elles se sauvent pour se mettre à l'abri. Munie de pattes puissantes qui lui permettent de courir vite et de sauter loin, une souris effrayée disparaît avant qu'on ait eu le temps de l'entrevoir.

Coucou!

Une véritable partie de cache-cache

Pour voir une souris, il faut aussi se tenir aux aguets. Pourquoi? Parce que le pelage d'une souris peut avoir toutes les teintes de gris et de brun. Étant donné que ces couleurs se fondent dans le milieu environnant, il n'est pas facile de repérer une souris.

Les souris sylvestres se reconnaissent à leur pelage brun roux, devenant plus clair sur le ventre. Mais au fil des ans, des variations sont apparues aussi chez cette espèce. Celles qui habitent les sous-bois ombragés ont un pelage plus foncé que celles qui vivent dans les champs.

À la couleur de la livrée de cette souris sylvestre, on peut déduire, sans risque de se tromper, qu'elle vit dans les bois.

De la taille d'une souris

Tout le monde sait que les souris sont de petits animaux. Mais il y a petit . . . et *petit*. En Amérique du Nord, la souris la plus petite ne mesure à l'âge adulte que 12 centimètres de long, la queue comptant pour la moitié. Une souris de cette taille ne pèse parfois pas plus de 11 grammes. Les souris les plus grosses atteignent des dimensions presque deux fois supérieures.

Les souris d'une même espèce peuvent être très différentes. Les souris sylvestres, par exemple, sont de tailles diverses. Là encore, la plus grosse fait environ le double de la plus petite.

Il est superflu de préciser à quoi le campagnol à dos roux boréal doit son nom.

Une queue révélatrice

En général, on peut dire que les campagnols ont des queues plus courtes que les souris proprement dites, mais la longueur de celles-ci, de même que la taille des souris, varie énormément. La queue du campagnol des champs ne représente qu'un tiers du reste de son corps, alors que celle du campagnol longicaude fait plus de la moitié.

Il peut y avoir des différences importantes au sein d'un même groupe. Chez certaines souris sylvestres, la queue mesure deux fois moins que le corps, alors que chez d'autres, elle est plus longue que celui-ci. D'après la longueur de la queue d'une souris sylvestre, on peut déduire quel est son mode de vie et son habitat. En général, celles qui ont une queue plus longue grimpent beaucoup aux arbres et s'en servent comme balancier. Celles qui ont une queue plus courte vivent généralement dans des régions où il y a peu ou pas d'arbres.

Un acrobate miniature!

Ces souris en perpétuel

Elles se hâtent, trottinent, s'affairent . . . Voilà les verbes de mouvement que nous associons le plus souvent aux souris. À vrai dire, les souris semblent toujours être pressées, filant dans une direction, puis dans une autre, revenant sur leurs pas, de leurs petits pieds munis de griffes acérées.

Bon nombre d'entre elles sont également agiles à grimper, alors que certaines sont des nageuses accomplies et vont même parfois jusqu'à traverser des cours d'eau. Certaines souris vont surtout dans l'eau pour échapper aux prédateurs; mais d'autres semblent plonger uniquement par plaisir.

En outre, la plupart des souris sautent. En fait, il existe des souris qui sont tellement douées pour le saut qu'on les appelle – devinez! souris sauteuses. Munies de pattes postérieures ultra-longues, les meilleures d'entre elles peuvent franchir une distance de trois à quatre mètres. Celle-ci équivaut à environ 16 fois la longueur de leur corps, de leur petit nez frémissant à la pointe de leur longue queue. Chez les êtres humains, rares sont ceux qui parviennent à sauter, ne serait-ce que cinq fois leur taille.

Empreintes d'une souris sauteuse

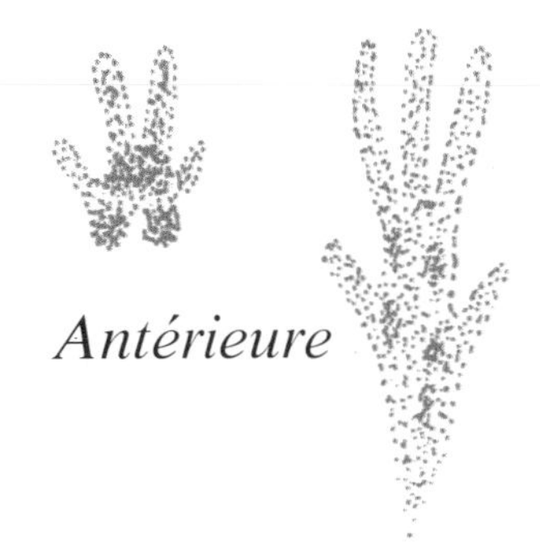

Antérieure

Postérieure

Empreintes d'une souris à pattes blanches

Antérieure

Postérieure

Des animaux casaniers

Si la perspective d'aller en ville ne semblait pas déranger outre mesure le Rat des champs de La Fontaine, la plupart des souris, en revanche, ne sont pas de grandes voyageuses. Bon nombre d'entre elles passent leur vie à filer dans une direction, puis dans une autre, dans un rayon qui n'est probablement pas beaucoup plus grand que votre arrière-cour. Les quelques espèces qui s'aventurent un peu plus loin restent en général dans le périmètre d'un pâté de maisons, à partir de leur nid. La zone à l'intérieur de laquelle la souris effectue ses déplacements quotidiens représente son domaine. Elle en connaît les moindres recoins, fentes, creux et bosses.

Bien qu'il soit rare qu'une souris quitte son domaine, elle ne voit pas d'inconvénient à le partager. Lorsque les petits sont encore jeunes et parfois aussi à d'autres occasions, elle défend farouchement les environs immédiats du nid. Par contre, il est fréquent que des domaines se chevauchent sans que cela dérange qui que ce soit.

Page ci-contre:

Le campagnol des champs s'affaire aussi bien le jour que la nuit, s'arrêtant de temps à autre pour faire un petit somme.

Pistes de souris

Vous vous imaginez sans doute que les souris doivent se déplacer avec peine dans les forêts et dans les champs. Elles ont beau avoir des petites pattes très puissantes, celles-ci ont malgré tout le défaut d'être courtes. La plupart des souris devraient s'enfoncer à hauteur de cuisse dans la couche de feuilles mortes et d'aiguilles de pin qui tapisse les sous-bois; l'herbe des prairies se dresserait devant elles, semblable à une forêt de chênes géants—tout en étant plus serrée. Comment les souris font-elles donc?

Avez-vous déjà remarqué que si l'on passe toujours au même endroit sur un gazon ou dans un champ, la végétation, au bout d'un moment, n'y pousse plus? Les souris, elles, ont compris le principe. Elles établissent un réseau de petits chemins, qui peut comporter des ponts et des tunnels, qui relie leur nid à différents points stratégiques.

Certaines, rien que par leur va-et-vient incessant, parviennent à ouvrir une voie. D'autres arrachent au passage les herbes avec leurs dents et piétinent ensuite la souche.

Page ci-contre:

Une souris sylvestre dans une situation fort délicate!

Des dangers multiples

Si les souris construisent des routes, ce n'est pas seulement pour se simplifier la vie. Il est vital qu'elles puissent se déplacer aussi vite que possible et regagner rapidement leur nid.

Pourquoi? Parce que les souris comptent de nombreux ennemis, notamment les renards, les coyotes, les belettes, les mouffettes, les ratons laveurs, les ours, les musaraignes, les écureuils, un certain nombre de serpents, de tortues, de poissons et d'oiseaux de proie. Selon leur espèce et leurs habitudes, la liste varie quelque peu. Ainsi, les souris qui s'affairent surtout la nuit n'ont rien à craindre des faucons ou des aigles.

Vous trouvez peut-être que la vie est bien injuste vis-à-vis des souris. N'oubliez pas toutefois que c'est l'équilibre de la nature qui est en jeu. Si toutes les souris parvenaient à l'âge adulte et avaient des petits, elles atteindraient un nombre tel qu'il n'y aurait bientôt plus de plantes, car elles les mangeraient toutes. De plus, s'il n'y avait pas autant de souris, beaucoup d'animaux mourraient de faim.

Page ci-contre:

Aux aguets.

Le menu préféré d'une souris

Pour des animaux qui ne s'aventurent jamais très loin, les souris n'en font pas moins de nombreux déplacements. Vous avez peut-être deviné le but de ces allées et venues incessantes: elles cherchent à manger.

En général, elles ne se montrent pas difficiles et engloutissent, en quantité, tout ce qu'elles trouvent. Pourtant, certaines espèces ont une préférence marquée pour tel ou tel aliment. Les souris sylvestres sont friandes de graines, mais il leur arrive aussi, au printemps, de grignoter des bourgeons et de jeunes pousses. Les campagnols des champs, en revanche, sont principalement herbivores.

Presque toutes les souris semblent apprécier, à l'occasion, la savoureuse collation que constitue une chenille, un agrotis ou une araignée. Il existe également une espèce qui se nourrit essentiellement d'insectes: la souris à sauterelles. Même si cette dernière mange pratiquement n'importe quel insecte ou œuf d'insecte, celui qu'elle préfère est—vous l'avez deviné!—la sauterelle.

Page ci-contre:

Certaines souris se donnent bien de la peine pour s'offrir un bon repas.

Le souci de la propreté

Saviez-vous que les souris et les chats avaient un point commun? En fait, c'est une caractéristique qu'ils partagent avec de nombreux animaux: ils aiment la propreté.

Pour faire sa toilette, la souris s'assied sur son arrière-train et se sert de sa queue comme support. Elle se lave le museau avec les pattes antérieures et se frotte soigneusement les oreilles. Puis elle lisse le pelage de son dos et de son ventre en se servant de ses minuscules griffes comme d'un peigne. Enfin, elle utilise ses dents et sa langue pour se nettoyer la queue et les pieds.

Les souris, qui ont également le souci de la propreté dans leur nid, font leurs besoins à l'extérieur, dans des endroits réservés à cet effet. Quand elles vivent en colonies, ce qui est fréquent, elles installent des toilettes communes, toutes participant à la construction.

Certaines souris, comme la souris sylvestre, ont résolu le problème autrement. Elles trouvent, semblerait-il, plus simple d'édifier un autre nid quand l'ancien devient trop sale.

Page ci-contre:

La souris sauteuse des champs, championne de cette discipline, garde son équilibre en sautant grâce à sa longue queue.

Maisons de souris

Chaque souris adulte possède généralement son propre nid, tout au moins pendant une bonne partie de l'année. Ceci s'applique également aux souris qui vivent en colonies.

Leurs logis ont des tailles et des formes variées. La plupart sont ronds comme une balle et sont construits avec des herbes, des brindilles ou matériaux que la souris déniche aux alentours: morceaux d'os, de tissu, de pelage, de ficelle, de papier . . . L'intérieur est creux et tapissé de matériaux plus doux.

Les souris construisent leur nid presque n'importe où, pourvu que l'endroit soit suffisamment à l'abri et qu'elles s'y sentent en sécurité. Certaines souris cachent leur nid dans des galeries souterraines qu'elles creusent elles-mêmes, alors que d'autres empruntent des terriers abandonnés par d'autres animaux. Il leur arrive aussi de se dissimuler sous des rondins et des rochers, dans le creux d'un arbre ou d'une souche, dans une touffe d'herbe. Il serait même arrivé que des souris s'emparent de nids d'oiseaux désertés par leurs occupants.

Page ci-contre:

Cette souris sylvestre a élu domicile dans un rondin creux.

Les souris en hiver

Position d'une souris sauteuse en état d'hibernation: la queue enroulée autour du corps.

Comme nous, les souris se protègent en hiver contre le froid et la neige de diverses manières.

Les souris sauteuses hibernent; en automne, leur corps s'enveloppe d'une couche de graisse et elles tombent dans un profond sommeil jusqu'au printemps.

Toutefois, la plupart des souris et des campagnols restent actifs tout l'hiver—certains plus que d'autres. De nombreuses souris disposent, à l'intérieur des joues, de poches élastiques appelées «abajoues», dans lesquelles elles emmagasinent des graines. En automne, elles en ramassent le plus possible et les cachent dans des chambres à provisions, près de leur nid.

Le reste du temps, ces mêmes souris se blottissent les unes contre les autres, en groupe de 10 à 15 individus, pour se tenir chaud. Chez la souris à pattes blanches, il existe un ordre hiérarchique bien précis au sein du groupe. L'une des souris a vite fait de se nommer «chef», bénéficiant ainsi de l'endroit le plus chaud au centre. Les moins agressives d'entre elles se retrouvent à la périphérie, beaucoup plus froide.

Page ci-contre:

La souris commune n'est pas originaire d'Amérique du Nord. Ses ancêtres y sont arrivés par bateaux à l'époque de la colonisation.

Pas de répit en hiver

La plupart des campagnols ne font pas beaucoup de provisions en automne. Ils s'affairent donc presque autant en hiver qu'en été.

Ceux qui vivent surtout sous terre empruntent comme d'habitude leurs galeries pour leurs allées et venues. Les campagnols des champs et autres creusent des galeries dans la neige, qui correspondent aux pistes qu'ils utilisaient l'été, en surface.

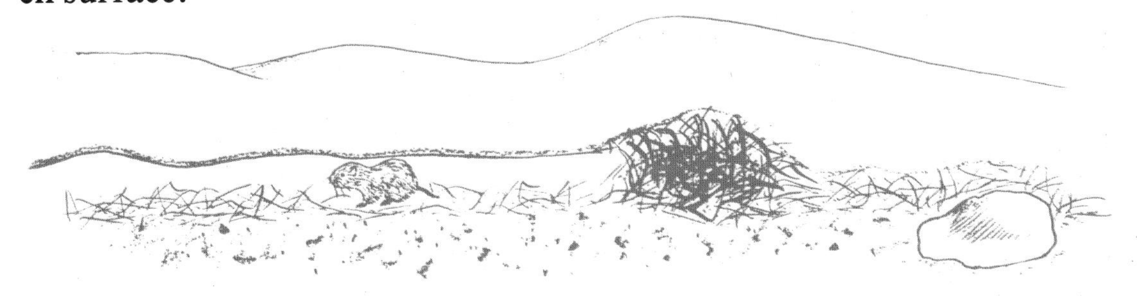

Pour se déplacer, les souris empruntent en hiver des galeries sous la neige.

Pour subsister, tous les campagnols doivent manger tous les jours l'équivalent de leur poids.

Un répertoire très varié

Vous auriez sans doute des difficultés à suivre une «conversation» de souris. Certaines, en effet, n'émettent pour ainsi dire aucun son et les plus bavardes elles-mêmes ont des petites voix très douces.

Ces voix douces peuvent cependant produire une gamme étonnante de sons. La plupart des souris vagissent et chicotent, et bon nombre d'entre elles couinent et babillent de surcroît. Quelques-unes émettent un sifflement qui ressemble plutôt au bourdonnement d'un insecte. Le campagnol chanteur doit même son nom à son cri aigu et lancinant. Et, encore plus incroyable, la souris à sauterelles s'assied parfois sur son arrière-train, renverse la tête en arrière et se met à hurler comme un petit coyote!

Certaines souris produisent des sons particuliers, mais uniquement à certaines occasions. Ainsi, beaucoup d'entre elles tapent sur le sol en cas de danger, soit avec leurs pattes antérieures, soit avec leur queue. En outre, certaines femelles émettent un vagissement spécial pour faire savoir aux mâles qu'elles sont prêtes à s'accoupler.

Page ci-contre:

Le campagnol chanteur: le ménestrel de la toundra!

Comment elles fondent une famille

Lorsque les souris sont prêtes à s'accoupler, généralement trois ou quatre fois par saison, le mâle et la femelle partagent le même nid pendant quelques jours. Ils passent surtout leur temps à se faire la cour, à se nettoyer mutuellement et à se pourchasser aux alentours du nid.

Suivant les espèces, le mâle part après l'accouplement ou reste à proximité pour aider la mère à s'occuper des nouveau-nés. Mais c'est de toute façon la mère qui prépare toujours la pouponnière, soit en ajoutant dans le fond de son propre nid les matériaux les plus doux qu'elle ait pu trouver, soit en en construisant un nouveau.

Ces jeunes souris sylvestres tètent le bon lait de leur mère.

Une progéniture abondante

La naissance a lieu environ trois semaines après que le mâle et la femelle se soient accouplés. Une portée compte généralement de cinq à sept souriceaux, et parfois beaucoup plus. Le nombre dépend de l'espèce et souvent de l'âge de la mère, ainsi que de la quantité de nourriture qu'elle a absorbée.

Les nouveau-nés sont minuscules et mesurent moins de quatre centimètres de long, queue y comprise. Ils sont encore plus petits qu'une gomme! Ils ne voient ni n'entendent et sont dépourvus de poils sur le corps, à l'exception de petites moustaches.

Une croissance accélérée

Les souriceaux se développent à une allure surprenante. Pendant les deux premiers jours, la mère ne quitte pas le nid et les petits tètent pratiquement sans arrêt. Leur peau est d'une transparence telle que vous pourriez effectivement voir le lait qui passe dans leur corps.

Page ci-contre:

Famille de souris à pattes blanches.

Cependant, en l'espace de quatre jours, le corps des petits se recouvre d'un léger duvet. Au bout d'une semaine, ils ont doublé de poids et, au bout de deux, ils voient et se déplacent. Ils tètent toujours mais se nourrissent également de baies et de graines.

Les souris, la souris sylvestre en particulier, sont des mères attentives. Si le nid a été dérangé, la mère emmène ses petits dans un endroit plus sûr. Ceux-ci s'accrochent alors à une mamelle pour ne pas perdre leur mère en cours de route. Si l'un d'eux vient à tomber, la souris l'attrape par la peau du cou et le transporte ainsi jusqu'au nouveau nid.

Lorsque le père se trouve toujours dans les parages, il contribue à maintenir les petits au chaud en se blottissant contre eux et les assiste pour la toilette. C'est également lui qui répare le nid au besoin et qui va chercher les petits égarés pour les ramener en lieu sûr. Lorsque les souriceaux sont assez grands, ils partent avec leur père pour apprendre à chercher de la nourriture.

Page ci-contre:

Première sortie en solitaire!

Une race prolifique

Au bout de quelques semaines, on peut considérer que les souris sont adultes et capables de se débrouiller toute seules. Dès l'âge de trois ou quatre mois, elles peuvent fonder une famille. Leur espérance de vie atteint tout au plus une année et demie, ce qui peut sembler court, mais représente une éternité pour une souris.

Peu d'animaux ont appris à s'adapter à des conditions aussi diverses que les souris et à se reproduire aussi rapidement. Leur vie a beau être courte et précipitée, vous pouvez être sûr que, la prochaine fois que vous vous promènerez dans un champ ou dans les bois, il y aura, quelque part, près de vous, une petite souris ou un campagnol qui trottine ou sommeille dans son nid.

Prenez le temps de vous arrêter quelques instants. Restez immobile et observez attentivement. Avec un peu de chance, votre patience sera récompensée et vous entreverrez l'univers modèle réduit, mais fascinant, des souris.

Glossaire

Accoupler(s') S'unir pour avoir des petits.

Carnivore Qui se nourrit de chair.

Domaine Zone à l'intérieur de laquelle la souris effectue ses déplacements quotidiens.

Herbivore Qui se nourrit de végétaux.

Hiberner Tomber dans un profond sommeil durant l'hiver.

Piscivore Qui se nourrit ordinairement de poissons.

Portée Jeunes animaux nés en même temps.

Prédateur Animal qui pourchasse les autres animaux pour les dévorer.

Proie Animal pourchassé en vue d'être dévoré. Un oiseau qui pourchasse les animaux pour les dévorer est souvent appelé «oiseau de proie».

Rongeur Animal pourvu d'incisives, dents spécialement faites pour ronger.

Souriceau Petit d'une souris.

Terrier Trou creusé dans la terre par certains animaux et qui leur tient lieu de logis.

Téter Boire le lait de sa mère.

Toilette (faire sa) Se lisser et se nettoyer les poils.

INDEX

Couverture: Bill Ivy
Crédit des Photographies: Robert C. Simpson (Valan Photos), pages 4, 23, 43; J.R. Page (Valan Photos), 7, 39; Bill Ivy, 8, 11, 12, 15, 35, 36, 44; Duane Sept (Valan Photos), 16; Michel Quintin (Valan Photos), 19, 24, 31; François Morneau (Valan Photos), 20; Albert Kuhnigk (Valan Photos), 27; Francis Lepine (Valan Photos), 28; Dennis Schmidt (Valan Photos), 32; John Fowler (Valan Photos), 40.

Imprimé en Espagne